"十二五"国家重点图书出版规划项目

数学文化小丛书

李大潜　主编

从多面体到水立方

Cong Duomianti dao Shuilifang

齐民友

图书在版编目(CIP)数据

从多面体到水立方/齐民友编.—北京：高等教育出版社,2013.6（2023.4重印）
（数学文化小丛书/李大潜主编.第3辑）
ISBN 978-7-04-037199-4

Ⅰ.①从… Ⅱ.①齐… Ⅲ.①多面体-普及读物
Ⅳ.①O189-49

中国版本图书馆CIP数据核字(2013)第068051号

项目策划 李艳馥 李 蕊

策划编辑 李 蕊　　责任编辑 胡 颖　　封面设计 张 楠
版式设计 王艳红　　插图绘制 邓 超　　责任校对 杨雪莲
责任印制 存 怡

出版发行	高等教育出版社	咨询电话	400-810-0598
社　　址	北京市西城区德外大街4号	网　　址	http://www.hep.edu.cn http://www.hep.com.cn
邮政编码	100120	网上订购	http://www.landraco.com http://www.landraco.com.cn
印　　刷	中煤（北京）印务有限公司		
开　　本	787×960　1/32		
印　　张	2.25	版　　次	2013年6月第1版
字　　数	37 000	印　　次	2023年4月第8次印刷
购书热线	010-58581118	定　　价	9.00元

本书如有缺页、倒页、脱页等质量问题，请到所购图书销售部门联系调换。

物 料 号 37199-A0

数学文化小丛书编委会

数学文化小丛书总序

整个数学的发展史是和人类物质文明和精神文明的发展史交融在一起的。数学不仅是一种精确的语言和工具、一门博大精深并应用广泛的科学，而且更是一种先进的文化。它在人类文明的进程中一直起着积极的推动作用，是人类文明的一个重要支柱。

要学好数学，不等于拼命做习题、背公式，而是要着重领会数学的思想方法和精神实质，了解数学在人类文明发展中所起的关键作用，自觉地接受数学文化的熏陶。只有这样，才能从根本上体现素质教育的要求，并为全民族思想文化素质的提高夯实基础。

鉴于目前充分认识到这一点的人还不多，更远未引起各方面足够的重视，很有必要在较大的范围内大力进行宣传、引导工作。本丛书正是在这样的背景下，本着弘扬和普及数学文化的宗旨而编辑出版的。

为了使包括中学生在内的广大读者都能有所收益，本丛书将着力精选那些对人类文明的发展起过重要作用、在深化人类对世界的认识或推动人类对世界的改造方面有某种里程碑意义的主题，由学有专长的学者执笔，抓住主要的线索和本质的内容，由浅入深并简明生动地向读者介绍数学文化的丰富内涵、数学文化史诗中一些重要的篇章以及古今中外一些著名数学家的优秀品质及历史功绩等内容。每个专题篇幅不长，并相对独立，以易于阅读、便于携带且尽可能降低书价为原则，有的专题单独成册，有些专题则联合成册。

希望广大读者能通过阅读这套丛书，走近数学、品味数学和理解数学，充分感受数学文化的魅力和作用，进一步打开视野、启迪心智，在今后的学习与工作中取得更出色的成绩。

李大潜

2005 年 12 月

目　录

一、多面体和欧拉公式

人类和多面体打交道已经有悠久的历史：古埃及的金字塔就是非常典型的多面体：四面体. 从那时起，人们就熟知了一些具有特殊性质的多面体，特别是正多面体. 这种多面体的特点是：每一个面都是同样的正多边形. 早在古希腊，人们已经熟知有 5 种正多面体，特别在柏拉图的《**蒂迈欧篇**》(*Timaeus*) 一书中就已经详细讨论过它们了，所以这些正多面体就被称为**柏拉图多面体** (图 1). 这些正多面体在柏拉图哲学中有特殊的重要性. 古希腊人认为世界是由 4 种元素构成的，而每一种元素都对应于一个正多面体. 第一是“土”，它对应于立方体、即正六面体，因为它正正方方，如泥土一样：拿起来就会捏碎了；再说，只有正六面体才能铺平如土地那样. 第二是“气”，它用正八面体来表示，因为气的微粒如此光滑，谁也感觉不到它. 第三种元素“水”，是正二十面体，您把水拿起来它就会像小球一样，从手指缝里溜走了. 第四种“火”是正四面体，与前者恰成对比，身上长满了刺，拿起来就会把您伤了. 第五种正十二面体, 柏拉图讲得很含混, 只说是天神用它来构成天界, 后来亚里士多德又添上第五种元素“以太”(拉丁文是 aether, 英文则是 ether), 是构成天球和星座的“材料”, 意思是凡人难以捉摸的. 后来物理学中也借用以太这个词, 无非取其难以捉摸之义, 与亚里士多德没有什么关系了.

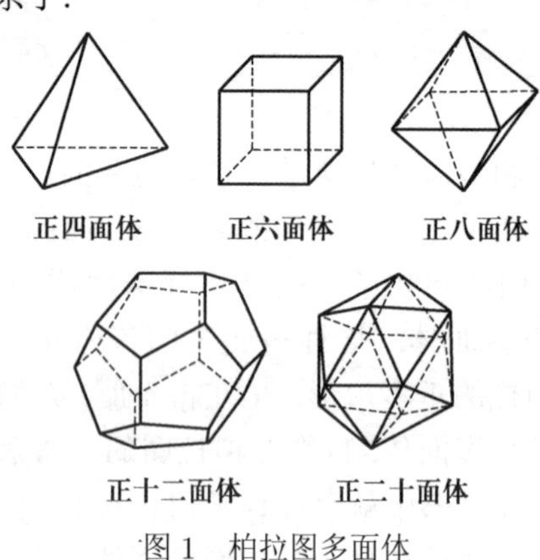

图 1　柏拉图多面体

既然多面体这样引起了柏拉图的注意, 在欧几里得的《**几何原本**》中也给予它很显著的位置就不足为奇了. 事实上, 欧几里得的《**几何原本**》第十三卷讲立体几何, 主要就是讲多面体. 特别是其中的命题 18 就指出只存在这 5 种正多面体, 而所谓正多面体就是以正多边形为表面的多面体. 当然, 这个命题的证明是谈不上严格的, 但是更重要的问题在于我们对多面体一直还没有合适的定义. 这一点正是我们研究多面体的时候遇到的根本困难: 每当我们给出多面体的一个定义, 随着研究工作的进展,以及我们见到更多的自然现象, 就会发现这些定义有例外, 因此所得到的结论也有例外, 需要加以改进. 所以我们只能暂时采用一个现在大家都能接受的定义, 再随时改进.

我们现在定义多面体如下:

1. 它是一个表面由有限个**凸多边形**组成的三维**凸体** (说一个集合如平面区域或三维区域是凸的, 就是说, 取其中任意两点, 则连接这两点的线段也位于这个集合内).

2. 这些凸多边形称为它的"**面**". 两个面一定沿一条直线段相连, 而且每一条这样的直线又只连接着两个面. 这些直线段称为"**棱**". 这些直线段一定在其端点相连, 棱的端点称为多面体的"**顶点**". 两条棱只能在端点处相遇. 如果它们相交, 但不是在端点处相交, 是不许可的. 同样, 两个面在一点相遇、或者沿着不是棱的直线段相交、或者互相穿过, 也都是不许可的.

3. 多面体一定是"**简单的**", 它的面也一定是"**简单的**". 所谓简单, 粗略地说就是**没有洞**. 准确一点说, 一个平面区域或三维空间区域是简单的, 在平面区域的情况就是其中的任意封闭曲线一定可以通过连续变形变成一个点, 而在三维空间区域的情况则是封闭曲面在变形过程中不会离开这个三维区域.

这些概念其实是很深刻的拓扑概念, 而我们有一个简单的判别方法: 假设这些面都是由柔软而可以拉伸的塑料或橡皮薄膜做成的, 我们可以像吹气球一样把它吹成一个球面. 图 2 就是一个例子.

图 2　一个多面体被吹成了一个足球

对于多面体, 人们最为熟知而且在教学中最常提到的美丽结果就是**欧拉公式**.

定理 1(欧拉公式)　*对于适当正规的多面体, 必有*

$$V - E + F = 2. \tag{1.1}$$

这里所谓适当正规就是指上面所作的解释, 而 V, E, F 分别表示多面体的顶点、棱及面的数目.

在证明这个美丽的定理之前, 我们先来介绍一下它的历史. 欧拉在 1750 年 11 月 14 日给哥德巴赫的一封信里宣布了这个结果. 他写道: “我很吃惊, 立体几何中这样一个一般的性质, 就我所知, 还没有其他人注意到.” 这里的其他人包括了柏拉图、毕达哥拉斯、阿基米德、欧几里得以及德国大天文学家和数学家开普勒. 他们都曾经和多面体有过密切的接触, 但是对这个漂亮的结果居然都没有注意到. 可能笛卡儿是例外, 他离这个结果从逻辑上说只有一步之遥, 但是也没有得到它. 笛卡儿的“证明”我们将在第二部分介绍.

不过, 欧拉本人并没有给出正确的证明. 第一个正确证明似乎出自勒让德之手. 但是下面我们将要给出的是柯西在 1821 年的证明的一个变体. 这主要是因为, 其他人证明的路数都是来自立体几何: 把多面体在一个顶点附近看成一个"立体角"①, 而柯西则把它化成了一个图论的问题. 下面我们给出这个证明的一个变体, 这样更容易看懂.

欧拉定理的证明. 我们不妨把这个多面体的表面看成地球表面 (图 2 左侧), 上面筑了一些堤坝, 围成了有限多个小圩子. 圩子的个数就是多面体的面的数目 F; 堤坝分成 E 段, 每一段就是一条棱; 在每一段堤坝的两端各立一根柱子, 来标志堤坝的起点和终点, 这些柱子就是多面体的顶点, 其总数为 V. 我们的目的就是来研究 F, E 和 V 的关系. 为此, 我们选择一个圩子, 让里面灌满了水, 于是没有被水淹没的圩子总数成了 $F' = F - 1$. 我们的目标是证明 $V - E + F' = 1$.

现在我们再来给出一个不太严格的证明, 其方法是挖掉一段堤坝 (但是其起点和终点处的柱子保留不动, 以免影响其他坝段). 本来一段堤坝是两个圩子的分界线 (每一条棱只连接两个面), 现在有

① 欧拉和笛卡儿使用的名词与现在大学教学中常用的不同. 例如现在的"立体角"就是中学教学中的"多面角", 它的各个面各有自己的面角. 下文中讲到立体角的大小和角亏、角盈时, 都是讲的这些面角之和. 而在现在的大学教学中的"立体角", 是指以顶点为球心、所作的半径适当小的球面在此角内的区域的面积与半径平方之比. 但是讲立体角的全角时, 欧拉和笛卡儿的用法有时与现在大学教学一致, 即指上述的球面是整个球面, 从而立体角是 4π, 但有时仍旧指这些面角之和.

一个圩子已经灌满了水，另一个还没有被淹没. 挖掉这一段堤坝以后，另一个也被水淹没了. 所以 E 和 F' 的数目都减少了 1，但是 V 没有变，所以 $V-E+F'$ 不变. 像这样做下去会遇到另一种情况，就是一段堤坝两侧都被水淹没了. 这时就挖掉一段堤坝，连起点处的柱子都挖掉，但终点处的柱子保留不动. 这时 F' 不变，但是 V 和 E 各减去 1，$V-E+F'$ 仍然不变. 很可能这种情况会继续做若干步，不过 $V-E+F'$ 是不会变的.

总之，我们会遇到两种情况：或者还有一个没有被淹的圩子，它就一定有没有被拆掉的堤坝；或者是两边都被水淹没了的堤坝，这时就把一段堤坝连同其起点的柱子拆掉. 总之 $V-E+F'$ 是不会改变的. 因为这里的圩子只有有限多个，所以到最后就一定只剩下一段堤坝. 再把这段堤坝连同起点的柱子拆掉，就只剩下它的终点处的柱子孤零零地站在水里，也就是说：$V=1, E=0, F'=0, V-E+F'=1$. 但是 $V-E+F'$ 在这个过程中一直没有变，所以恒有 $V-E+F'=1$，也就是 $V-E+F=2$. 就是说 (1.1) 式成立，从而定理得证.

这个证明之所以还不严格，是由于实际上可能不止这两种情况. 但是想要把它变严格可能还要花太大的力气，反而会把基本思想弄模糊了.

这个证明和柯西原来的证明只有两点不同. 柯西是把这个球从挖掉的地方拉开、铺平在平面上. 如果设想地球表面是软软的塑料或者橡皮做的, 随便拉多么大, 也**只是改变形状和大小, 而不会拉断它, 也不需要黏补起来**, 则柯西的做法是很自然的. 这个做法在数学上称为一个拓扑变换、或者“**同胚**” (homeomorph). 如果把这一个圩子灌满水, 整个图形就变成茫茫大海里的一个孤岛, 再把环岛的堤坝统统拆掉, 就变成大海里留下一座灯塔. 我们的做法就是认为地球本身就是无穷的, 例如设北极就在最早挖掉的圩子里面, 不妨认为北极就在无穷远处. 这个思想在现代数学里面是非常常见的. 至此为止, 我们的思考都属于拓扑学的范畴.

第二个区别在于柯西设每一个面都是三角形. 如果不是, 就在多边形的边上取定一个顶点, 并且用一条线段把它与另一个顶点连接起来, 于是多出了一条棱, 把原来的一个多边形分成两个而多出了一个. 既然 E 和 F 都加了 1, 整个 $V-E+F$ 就没有变. 然后柯西又把添加上的堤坝挖掉. 但是在我们看来, 既然要挖掉, 当初何苦又去添上呢? 这样做虽然有点白费劲, 总还属于“组合学” (combinatorics) 的范畴. 这一下可说到点子上了, 我们可以把这些多面体化成平面上的**图** (graph). 例如相应于那 5 种正多面体的图就是图 3.

这件事其实很容易想象: 上面那些区域外的无限区域就是大海. 把这些图从中间往上拎起来, 再把这茫茫大海绕到纸后面封起来, “稍加整理” (就是作适当的拓扑变换) 岂不就回到原来的多面体了吗? 如果我们真的这样想那就太小瞧了柯西:

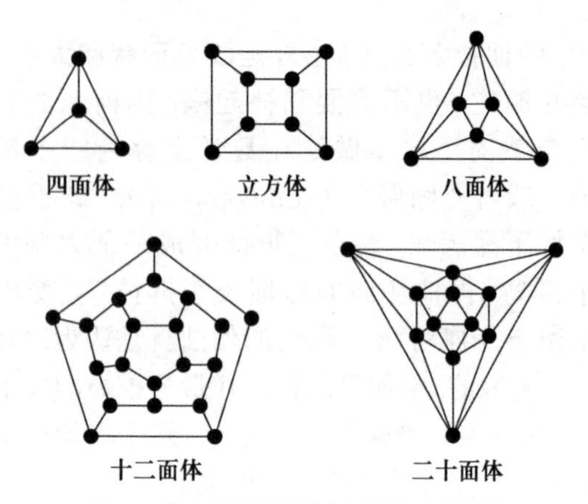

图 3　相应于柏拉图多面体的平面图

宁可说我们自己贻笑大方！柯西的证明把我们带到了图论这个领域. 这是现代数学的一个十分广泛的理论. 所谓图是一种出现得很频繁的数学结构, 图由一些 (通常是有限多个) 点和连接两点的线段构成, 其中点称为图的**结点** (nodes), 也称**顶点**, 连接两点的线段称为这个图的**边** (edge), 也称为**棱**.

这些名词都和多面体理论中的意思一样, 但是对于一般的图却没有“面”的概念, 因为图论的目的不同于多面体理论: 图论的问题就是研究这些结构的性质. 例如有一些图可以在平面上画出来, 这种图称为平面图. 图 3 上画出的图——称为这些正多面体的图, 它们都是平面图. 对于这些图就可以定义面的概念, 而关于多面体的欧拉公式也就成了关于这些图的欧拉公式. 不过现在应该把包含无穷远处的区域也看成一个面, 而它的顶角就是顶点的外角. 无穷远点虽然不是一个顶点, 但是应该规定

那里有一个顶角 -2π. 一个图是否平面的, 即是否可以在平面上画出来, 有重要的意义. 例如电路 (如芯片上的电路) 就是由一些导线连接起一些元件所成的图. 如果这些图不是平面的, 这些导线就会交叉, 这就十分麻烦. 图 4 就是非平面图的例子.

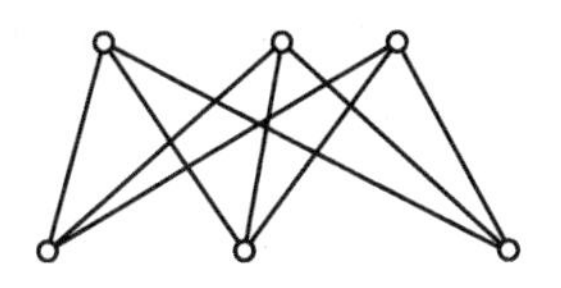

图 4　非平面图的例子

我们把上面的三个点看成变电站、煤气站和水厂, 下面三个点看成三户人家. 现在要求给这三家人通电、通气和通水, 按照图论的结果, 这些管线一定会在平面上交叉, 且只有从上方或从下方互相穿越. 图论的内容极为丰富, 我们在这里不可能多作介绍了.

但是欧拉的这个定理却能帮助我们回答一个老问题. 我们在前面已经看到了 5 种正多面体, 而且说过欧几里得想要证明只可能有这 5 种, 现在我们很容易就能证明这一点.

定理 2　*正多面体只有 5 种: 即正四面体、正六面体、正八面体、正十二面体以及正二十面体. 这里所谓正多面体都是指的凸多面体.*

证明　和上面一样, 多面体的棱仍为关键. 设正多面体的每一个面均为正 k 边形, 而通过每一个顶点都有同样个数 q 条棱 (q 也称为 **“度数”** (degree)). 对于正多面体, k,q 对于每个顶点都是一样的, 它们恰好标志了这个正多面体的性质. 所以我们引入一个记号 $\{k, q\}$, 称为这个正多面体的**施莱弗利** (Ludwig Schläfli, 1814—1895, 瑞士几何学家)**符号**.

因为这个正多面体有 F 个面, 所以总共有 kF 条边. 因为每条棱都邻接于两个面, 所以 $kF = 2E$, 即

$$F = \frac{2E}{k}. \tag{1.2}$$

同时棱的总数还应该是 qV, 所以 $qV = kF = 2E$, 即

$$V = \frac{2E}{q}. \tag{1.3}$$

把 (1.2) 和 (1.3) 代入欧拉公式 (1.1) 即有

$$V - E + F = \frac{2E}{q} + \frac{2E}{k} - E = 2.$$

用 $2E$ 除上式, 即得

$$\frac{1}{q} + \frac{1}{k} = \frac{1}{2} + \frac{1}{E}. \tag{1.4}$$

很明显, $q, k \geqslant 3$, 因为每一个面至少是三边形; 而过每一个顶点至少有 3 条棱, 否则这个多面体至少部分地被“压扁”成为平面的一部分, 而不可能是凸的. 但是它们又不可能同时 $\geqslant 4$, 因为若 q, k 均 $\geqslant 4$, 则 (1.4) 的左方 $\leqslant \frac{1}{2}$, 而 (1.4) 不能成立. 这样 q, k 中至少有一个为 3. 同样的考虑说明 k, q 中

一个也不能 $\geqslant 6$, 否则 $\frac{1}{k}+\frac{1}{q}\leqslant\frac{1}{3}+\frac{1}{6}=\frac{1}{2}$, 而有 $\frac{1}{E}\leqslant 0$. 但这是不可能的.

再往下就应该注意到, (1.4) 以及一对关系式 (1.2), (1.3) 对于 k,q 以及 F,V 是**对称的**, 所以只要对例如 $k=3$ 求出了一些解, 把 k,q 以及 F,V 对换, 就能求出另一些解.

所以先看 $k=3,q=3$ 的情况. 这时由 (1.4) 有 $E=6$, 而再由 (1.2) 和 (1.3) 又有 $F=V=4$, 这就是**正四面体**.

下一对是 $k=3,q=4$ 以及 $k=4,q=3$. 在这两种情况下, 都有 $E=12$. 而由 (1.2) 和 (1.3), 分别有 $F=8,V=6$ 以及 $F=6,V=8$. 这样, 有**正八面体**和**正六面体**成为一对.

最后, 令 $k=3,q=5$ 以及 $k=5,q=3$. 在这两种情况下, 都有 $E=30$. 而由 (1.2) 和 (1.3), 分别有 $F=20$, $V=12$(**正二十面体**) 以及 $F=12$, $V=20$(**正十二面体**), 成为一对. 定理 2 就此得证.

现在把所有结果列表如下:

多面体	面的形状 (k)	面数 (F)	棱数 (E)	顶点数 (V)	度数 (q)	施莱弗利符号 $\{k,q\}$
正四面体	正三边形	4	6	4	3	$\{3,3\}$
正六面体	正四边形	6	12	8	3	$\{4,3\}$
正八面体	正三边形	8	12	6	4	$\{3,4\}$
正十二面体	正五边形	12	30	20	3	$\{5,3\}$
正二十面体	正三边形	20	30	12	5	$\{3,5\}$

这个定理的证明还告诉我们: 正多面体是成对的. 每一对正多面体称为**互相对偶**的. 所以, 正八面体和正六面体互相对偶; 正二十面体和正十二面体互相对偶; 而正四面体自对偶. 取一个正多面体各面的中心连线, 就会得到对偶的正多面体. 图 5 就以正六面体和正八面体为例画出了这个关系. 对偶关系在下文中很有用.

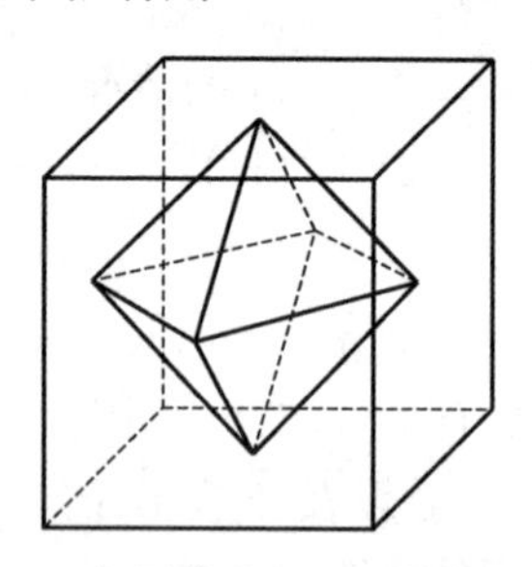

图 5　正六面体和正八面体的对偶性

世界上只有 5 种正多面体自然使人们作出种种玄学性质的联想. 古代的柏拉图自然是一个例子, 甚至到中世纪以后, 这种联想仍然不断出现. 这方面应该提到的是开普勒. 有这样一个故事: 他原来当过中学教师. 据说有一次在上几何课时, 突然想到, 一个正三角形的外接圆与内切圆的半径之比 $2:1$ 恰好和土星与木星轨道的半径比 $(1.43\times10^9\ \mathrm{km}):(0.78\times10^9\ \mathrm{km})$(近似于 $1.8:1$) 很相近, 于是他想, 是否可以用正多面体的外接球面与内切球面的半径比来刻画太阳系各行星的距离呢? 经过多年的试验和探讨, 他给出了以下的太阳系模型: 最外层有一个球面, 即最远的行星——

土星 (开普勒时代人们认识到的行星只有土星、木星、火星、地球、金星和水星) 轨道所在球面. 作一个正六面体内接于此球面, 再作此正六面体的内切球面, 它就是第二远的行星——木星的轨道之所在. 继续这样做下去, 他就得到了太阳系各个行星的模型 (图 6).

图 6　开普勒的太阳系模型

最外面的球面	土星
正六面体	木星
正四面体	火星
正十二面体	地球
正二十面体	金星
正八面体	水星

他非常兴奋地认为这是上帝的启示, 于是把这个模型画在他 1596 年的名著 **《宇宙的奥秘》** (*Mysterium Cosmographicum*) 一书中. 图 6 就是这幅插图. 但是它的线条太细, 看不清楚, 所以许多书在引用此图时, 或者只画了它的外层 (图 7):

土星、木星和火星, 3 个球面看得很清楚, 或者只画了它的内层 (图 8): 地球、金星和水星. 连同最外层的火星轨道的球面, 一共有 4 个球面也可以看得很清楚. 最中心的地方还画了太阳.

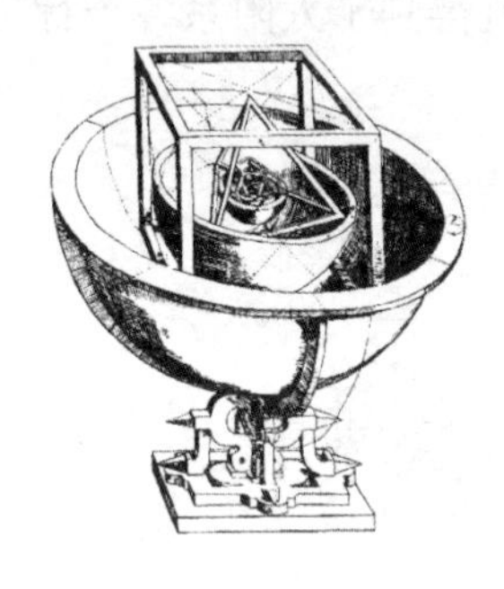

图 7　开普勒模型的外层

图 8　开普勒模型的内层

读者们会奇怪, 既然开普勒在平面情况下用正三角形的外接圆与内切圆为土星和木星轨道, 那么在三维情况下, 为什么第一个正多面体要用正六面体而不用正三角形的三维类比物正四面体呢? 这是因为正六面体外接球面和内切球面的半径比是 $\sqrt{3}:1\approx 1.73:1$, 而正四面体的外接球面与内切球面的半径比是 3:1(请与三角形重心位置比较), 显然前者更接近于土星与木星轨道的半径之比 1.8:1. 可见开普勒在提出他的模型时, 主要还是用的实验的方法. 直到 1619 年在他的另一部名著**《宇宙谐和论》**(*Harmonices Mundi*) 中提出的开普勒第三定律才正确解释了行星的位置问题, 这离 1596 年的名著**《宇宙的奥秘》**已经有 23 年了.

随着更多的行星的发现，如天王星、海王星和冥王星，开普勒的想法自然就完全落空了．但是，一旦发现有什么近乎规律性的现象，人们总会去探求是否有更深层的规律性．开普勒第三定律的发现是否就此画上了一个句号呢？

二、拓扑学的瑰宝

我们在上一部分指出, 欧拉定理可以引申到图论的问题. 图论是组合数学的一个分支, 上一部分就是从组合数学的角度来看待多面体的. 但是我们在论证中一再提到拓扑学的观点并应用了拓扑学的思想和方法. 例如我们一再把多面体经过拓扑变换 (即同胚) 变成一个球体. 图 2 把这一点表现得很清楚, 于是多面体就是球面上的一个网络, 而如果把球面拉伸成一个无穷平面, 它又成了平面上的图. 但是从拓扑学的观点来看, 两个曲面如果能够拓扑地互相变换, 就应该看成相同的. 于是不但各个正多面体拓扑地互相相同, 甚至与非正多面体也没有区别. 从这个意义上说欧拉公式不能说明各个正多面体的区别. 所以重要的是, 有哪些封闭的曲面 (在经过三角化而在其上画出了顶点、棱与面以后),

$$V - E + F \neq 2? \tag{2.1}$$

即使得上一部分的欧拉公式 (1.1) 不成立. 这里值得我们思索的是关于“简单性”的条件.

我们在前面指出过, 所谓简单性, 粗略地说就是没有“洞”, 所以我们应该对有洞的几何形体看一下欧拉公式是否成立, 而最简单的有洞的几何形体当然就是环面 (torus).

图 9 左侧就是一个环面, 右方是打了一个洞的六面体, 很容易看到它们是同胚的. 但是要想计算 $V-E+F$ 就需要把它们“三角化”. 这就是图 10 的意义.

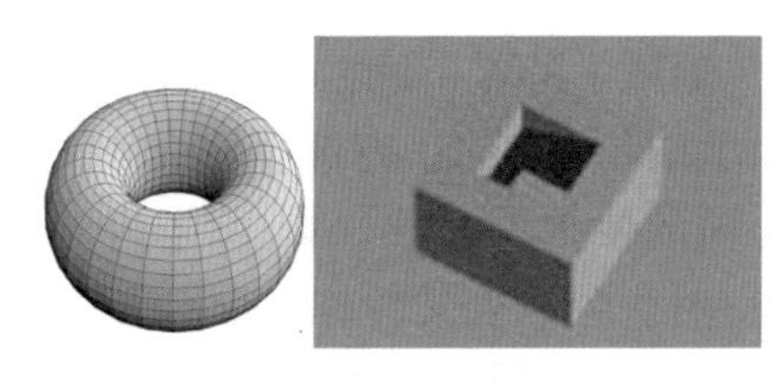

图 9　环面和一个同胚的几何形体

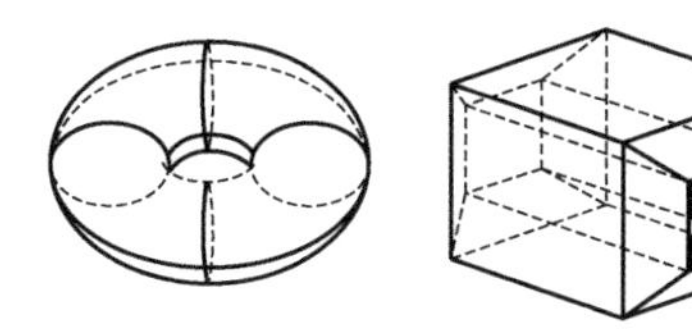

图 10　环面的一种三角化

我们来解释一下这里的三角化. 左图可以看成是一个手镯、沿着侧面分成上下两半, 而每一半又用纬圈 (子午圈) 分成 4 片, 所以这个环面的表面分成了 8 片, 从而 $F=8$. 每一片有 4 条棱, 总共 32 条, 但是每一条都被计算了 2 次, 所以 $E=16$. 最后来计算顶点, 每一片有 4 个顶点, 总共 32 个, 但是每一个都被计算了 4 次, 所以 $V=8$. 总之,

$$V - E + F = 8 - 16 + 8 = 0.$$

右方的图形虽然与左方的“手镯”是同胚的, 但是其三角化的方法并不相同. 如果直接从图 9 右图来看, 它的上下两面都是中空的正方形, 所以与多面体的面的定义 (简单的多边形) 不符合. 在图 10 右侧则用 4 个斜放的平面把它分成了 4 个梯形柱. 但是这些斜放的平面不能算作多面体的面, 因为面是多面体边界的组成部分, 因而其一侧属于多面体, 而另一侧属于外域. 不过, 有了这 4 个斜放的平面, 原来两头的中空的正方形各变成 4 个梯形, 符合了对于面的要求. 这样一来, 除了内外侧各有 4 个面以外, 两头空洞处又各有 4 个梯形的面. 这样, $F = 16$. 关于棱, 除了内外侧各有东西向或南北向以及上下向各 4 条棱以外还有两头各 4 条斜放的棱, 一共有 $E = 32$. 顶点则容易数清楚, 共有 16 个: $V = 16$. 所以, 仍旧有

$$V - E + F = 16 - 32 + 16 = 0.$$

我们这样就看见了, 虽然三角化 (正式的数学名词是“**三角剖分**” (triangulation)) 的方法不同, $V - E + F$ 却是一样的. 所以 $V - E + F$ 是这个多面体的**不变量**, 称为**欧拉示性数** (Euler characteristics). 我们通常记做

$$\chi = V - E + F. \tag{2.2}$$

环面可以说是仅次于球面的最简单的几何形体了, 计算其欧拉示性数尚且如此困难, 不妨再看一下**达 · 芬奇多面体**.

图 11　达·芬奇多面体

达·芬奇有一位数学家好朋友帕乔利 (Fra Luca Bartolomeo de Pacioli, 约 1445—1517, 意大利数学家), 后者写过一本书: **《神圣的比例》** (*De Divina Proportione*), 大约是在 1509 年出版的. 达·芬奇为此书作了插图, 图 11 是书中的插图之一. 其实也很简单, 达·芬奇不过是把一个阿基米德多面体 (在第三部分还要详细讲它) 的棱都画成了立体的小棍. 前几年举办过一个展览会纪念此书出版 500 周年. 图 11 就是这个展览会上的照片. 帕乔利是斐波那契的学生, 他是会计学的祖师爷——复式簿记法就是他发明的: 他当时为威尼斯的商人们写了一本数学教材, 第一次讲了复式簿记法. 所以我们可以毫无愧色地宣布: 现代的经济管理是由数学催生的. 回到我们的主题, 这个达·芬奇多面体的欧拉示性数是多少? 能用上面那种朴素的方法搞清楚吗? 因此有必要把什么是三角剖分定义清楚, 给出具体的计算方法, 证明欧拉示性数确实是一个几何形体的拓扑不变量, 并且弄清楚它究竟怎样来刻画一个形体的几何性质. 但这是一个巨大的任务, 需要搞清楚拓扑学的主要问题.

现在再回到欧拉示性数不等于 2 表示什么几何意义的问题. 在弄清楚欧拉示性数确实是一个几何形体的拓扑不变量以后, 我们把这个几何形体的表面看成一个光滑曲面, 再来看欧拉示性数的几何意义. 后来的研究表明, 对于正多面体表面以外的一般曲面, 我们可以把欧拉公式代以

$$\chi = V - E + F = 2 - 2g, \tag{2.3}$$

这里 g 称为这个曲面的**亏格** (genus), 粗略地说, 亏格就是一个曲面上的洞的个数. 环面的亏格为 1, 而其上的"洞"的个数确实为 1.

亏格在拓扑变换下是不变的. 当然这一点是需要证明的. 例如, 下面的"口杯"与环面是同胚的 (图 12): 只要让它的杯体"肿胀"起来、把杯子填满变成一个球体 (我们一定要说是一个口杯 (mug)、而不是纸杯或玻璃杯, 就因为口杯壁是相当厚的、不会被误会是一个曲面, 那样它就不会肿胀了), 再让它廋廋身、同时也让杯柄变粗一点, 这时, 再说它的亏格也是 1, 岂不很自然了?

其实我们还有一个方法, 就是在杯体 (上面说了, 杯体就是一个球面) 上"粘贴"一个柄, 杯体就会变成有一个洞的曲面, 就会得到亏格为 1 的环面 (图 13).

图 12　口杯和环面是同胚的

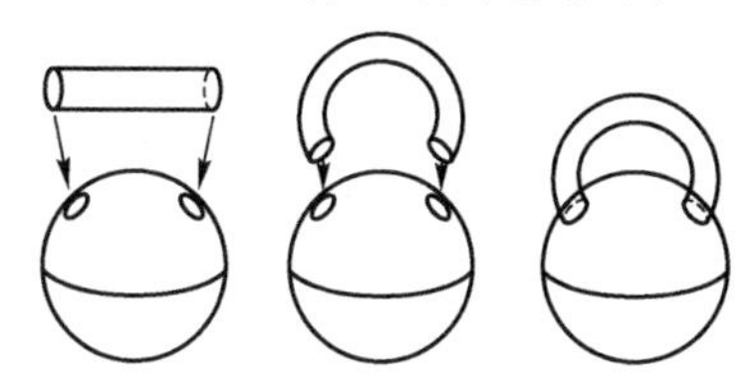

图 13　怎样在球面上粘一个柄变出环面

再粘一个柄, 又得到亏格为 2 的 **“双环面”** (double torus); 再粘一个柄又变成亏格为 3 的曲面(图 14).

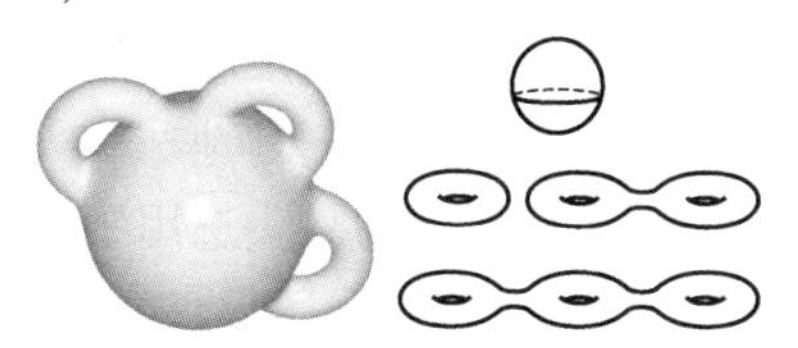

图 14　亏格为 3 的曲面和通过粘贴来构造更复杂的曲面的过程

于是我们要问, 是否这样一来就可以穷尽所有的曲面? 关于这个问题, 我们的答案是

定理 3(曲面的分类定理)　任意紧的无边 (缘) 的二维可定向曲面均同胚于粘上了 k 个柄的球面, 其亏格为 k.

我们不详细证明这个定理, 因为这里需要太多的准备知识. 但是必须解释一下其中涉及的概念. 首先, 什么是“**紧**”? 对于学过一点高等数学的读者, 我们不妨说: 紧就是有界而且为闭. 什么是“**无边**”? 想一下什么是有边. 例如在地球表面上, 海有海边、悬崖有悬崖边, 稍稍向外移动一点点, 就掉到什么地方去了. 但是整个地球表面就没有这样的“边”. 您可以问, 地球表面不就是边吗? 那是地面和大气层的分界处, 也是地表和地下的分界处. 但是我们讲的边不是这个意思: “地球表面”是地球 (作为一个球体) 和地球以外之间的界限. 当我们讨论曲面时, 我们并不考虑还有什么可以叫做曲面以外. 您去问一下麦哲伦, 就会懂得这是什么意思: 有人告诉他, 您不能驾着船一直向前走, 要不然您就走到了地球“尽头”, 再往前稍稍一小步您就会落入万劫不复的什么地方, 麦哲伦的回答是: 再往前走, 我又到家了. 所以这个定理里的“边”就是这样的尽头的意思. 为了把它与地球和大气层的分界处区别开来, 我们特别为尽头选用了“边缘”的说法. 有的读者会问: 有界而无边岂不矛盾? 现在我们只能把回答的责任推给麦哲伦, 如果有机会使用明确而严格的数学语言, 读者自然会明白这里的区别. 最后, 什么是“**可定向曲面**”? 我们又要问, 什么是“**不可定向**”. 我们知道, 默比乌斯带是一个单侧曲面, 它就是不可定向的, 所以我们现在就把这两个概念混用. 于是, 可定向曲面的分类解决了, 不可定向曲面的分类又如何呢? 我们在这里不可能多说了, 只是指出亏格概念仍然起关键的作用.

至此为止, 我们已经看到可以从两个不同角度来看待欧拉多面体公式: 在上一部分中, 我们是把多面体看成一个初等几何对象, 它的元素是点、棱和面. 我们所研究的其实只是它的几何性质的一个方面——**关联性质** (incidence properties), 因为我们甚至没有涉及任何如平行、垂直、全等、相似这些众人公认的几何问题, 而所谓关联就是: 某个对象在另一个对象上 (如某个顶点位于某条棱上), 或某个对象经过另一个对象 (如某个面通过某个顶点) 等. 这些当然是几何问题, 可是对其重要性, 上千年来大家视而不见, 直到 19 世纪末希尔伯特的名著《**几何基础**》出版, 总结了当时人们对几何基础的认识, 才把关联性质列为初等几何最根本的性质的一部分. 我们说欧拉多面体公式是从组合数学角度来研究多面体的, 也就是这个意思. 可是在这一部分中, 我们又突出了它的拓扑性质: 例如考虑的是拓扑变换及其不变量、洞、亏格等, 甚至点、棱和面可以随便画——可以作任意的三角剖分而亏格都不变, 可以把柄粘到球面并且就此对可定向曲面分类, 而且涉及了不可定向的单侧曲面, 可惜篇幅的限制使我们点而不到就得打住了. 那么, 二者之间是何关系? 我们不妨说, 有时初等几何控制了拓扑学. 这是极为深刻的思想, 是最近一两个世纪数学的大成就. 可惜, 我们也只能点到即止, 最多限于举一个例子, 就是**笛卡儿对欧拉多面体公式的证明**.

前面提到笛卡儿对公式 (1.1) "几乎" 给出

了一个证明. 虽然从逻辑上说还没有完成, 但是从思想上说却非常有意思. 他把自己的发现写在一本书《**立体的原理**》(*De Solidorum Elementis*) 中. 但是这本著作一直没有发表, 而笛卡儿去世以后又因沉船而掉到水里去了, 后来才被人捞出来. 虽然莱布尼茨读过这部著作, 但是它确实是几乎湮没了. 人们认为笛卡儿"几乎"得到了欧拉的结果, 也因此, 有人把这个结果称为**"笛卡儿的失去的定理"**. 美国数学会的网页上开辟了一个栏目, 就叫做**"笛卡儿的失去的定理"**, 而且详细论述了笛卡儿的这个贡献怎样可以看成两百年后高斯曲面理论中关于角亏的贡献的前驱 (因为篇幅有限, 我们在此不介绍高斯的贡献). 这一点我们在下文中将要适当地介绍.

笛卡儿和欧拉不一样, 对于多面体的顶点, 他不但称为一个"立体角", 而且处理起来也是和立体几何处理角的方法一样的. 虽然欧拉也把多面体的顶点称为"立体角", 但是实际上只是看成一个点. 所以很早就证明了欧拉公式的勒让德就主张欧拉该另立一个名词, 而到了柯西则正式称之为"顶点", 采用了图论的观点. 笛卡儿则完全应用初等几何的观点. 在初等几何中有一个人人都知道的定理: 一个多边形的外角之和是 2π, 但是笛卡儿对外角却有另一个看法: 如果把多边形的一个边越过顶点延长, 将要得到一个"平角" π, 但是现在有了顶点, 多边形的边转了一个弯, 设角度为 α, 则离平角还差了一个角 $\pi-\alpha$, 它应该叫做“**角亏**”(angle defect), 也就是外角. 因为内角和是 $(n-2)\pi$, 把 n 个顶点上的内、外角全加起来, 共得 n 个平角 $n\pi$, 所以多边形的外角之和是 2π. 注意, 这个推理也适用于凹多边形, 其内角 α 可能是优角而大于 π, 这时 $\pi-\alpha<0$, 而应该叫做“**角盈**”(angle excess). 但是我们仍旧用角亏这个词. 这个结果也适用于连续的封闭曲线. 在这里外角定理就成了著名的几乎自明的.

定理 4(霍普夫 (Hopf) 旋转切线定理) 设 L 是一条光滑的平面封闭曲线, 则当依逆时针方向在 L 上旋转一周后, 其切线一定也依逆时针方向旋转一周.

不要以为这个定理如看起来那样是很明显的事, 证明却很难. 下面我们看一个打开了大灯在弯道里疾驶的汽车 (图 15), 就明白是怎么回事了.

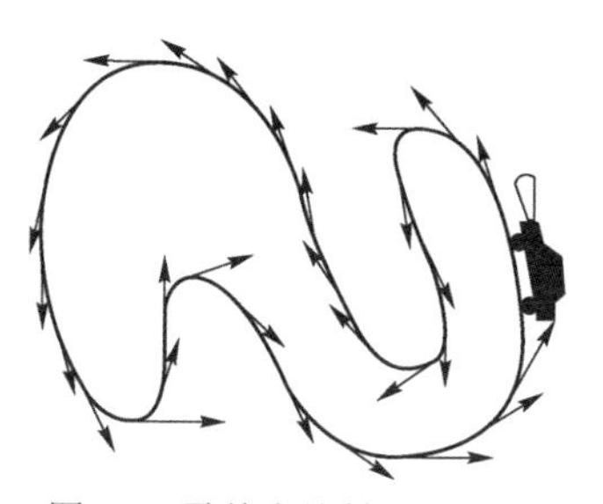

图 15　霍普夫旋转切线定理

笛卡儿的重大贡献是把角亏的概念推广到三维情况. 给出一个多面体, 笛卡儿努力去找出其总角亏的公式. 如何定义一个顶点的角亏呢？他的基本思想如下: 设有一个“顶点”(他称之为“立体角”, 就是在中学立体几何教学中称为“多面角”的东西, 就是多面体靠近顶点的那一部分), 它是由好几个面组成的, 笛卡儿计算这些面角的和, 并且认为这个和就是“立体角”的大小. 例如, 在立方体的情况下, 他取一个正方形, 把它分成 4 个象限, 如果去掉其中的一个, 可以用余下的 3 个折起来成为一个凸出的角点, 如图 16 的上面一排所示的那样. 因此我们可以说这个凸的角点有一个角亏 $\frac{\pi}{2}$. 再进一步看下面一排, 我们仍然把 4 个象限剪开一个缝, 然后再添加一个小正方形, 做成如下一排那样的一个凹进去的角点. 这一次, 我们多用了一个角 $\frac{\pi}{2}$, 所以我们不妨说这个凹进去的角点有一个角盈 $\frac{\pi}{2}$, 或者说是角亏为 $-\frac{\pi}{2}$. 和在二维情况下我们用一个角点 (即多边形的顶点) 处的边对于平角 π 是有欠还是有余来定义角亏和角盈一样, 在三维情况下我们用一个角点 (即多面体的顶点) 处的边对于平面 (即全角 2π) 是有欠还是有余来定义角亏和角盈, 其不足的量叫做角亏, 多余的量叫做角盈 (角盈就是负的角亏). 这个方法当然不只可以用于立方体, 而且也可以用于其他情况. 例如正四面体的任意顶点都连接着 3 个正三角形, 每一个角都是 $\frac{\pi}{3}$, 如果把它打开摊平, 就成了大小为 $3\times\frac{\pi}{3}=\pi$ 的角, 离全角 2π 欠了一个 π. 所以正四面体的任意顶点都有角亏 π.

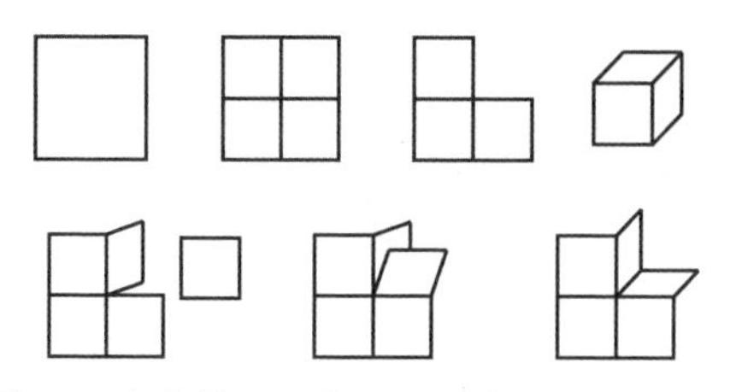

图 16　立方体凸出来和凹进去的顶点的角亏

正如我们定义一个多边形的角亏 (称为**总角亏**) 为各个顶点角亏的代数和 (角盈也算角亏, 不过取负值) 一样, 我们定义一个多面体的**总角亏**为各个顶点角亏的代数和.

尤其值得注意的是, 笛卡儿把这里的角亏称为曲率, 用他的原话说就是表现了多面体的**弯曲程度** (curvature) 和**坡度**, 而且他的思想确实可以说是高斯的思想的萌芽. 这样, 如图 17 那样的多面体 (好像缺了一块砖的墙体一样) 一共有 14 个顶点, 其中顶点 1— 10 都是凸向外的, 所以都有角亏 $\frac{\pi}{2}$; 顶点 $12, 13, 14$ 都是凹向内的, 各有角亏 $-\frac{\pi}{2}$; 但是 11 却不同: 看起来是凹向内的, 但是与它相连接的只有三个小正方形, 摊开来以后成 $\frac{3\pi}{2}$ 的角, 所以按照用平面角之和来定义角亏和角盈的原则, 它仍然有角亏 $\frac{\pi}{2}$. 这样, 这个多面体的总角亏是

$$11 \times \frac{\pi}{2} + 3 \times \left(-\frac{\pi}{2}\right) = 8 \times \frac{\pi}{2} = 4\pi.$$

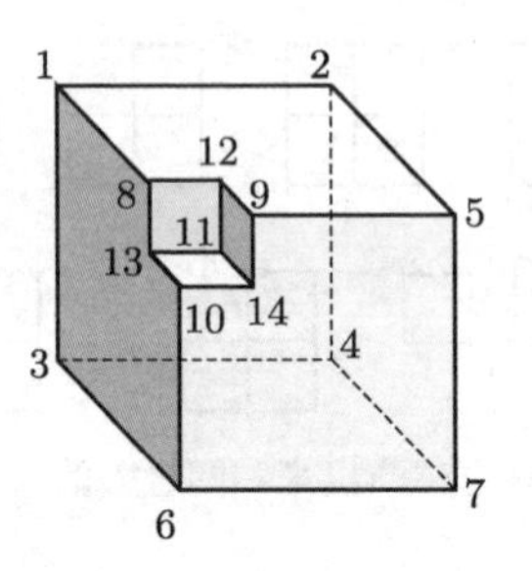

图 17　一个多面体的总角亏

笛卡儿由此得到一个结论:**一个多面体的总角亏为** 4π. 这就是笛卡儿对外角定理在三维空间中的推广. 请注意, 这里的 4π 就是我们的大学教材中的立体角的全角, 而笛卡儿的全角则是平面上的全角 2π. 这个区别请特别注意. 与此相应, 欧拉也发现, 一个具有 V 个顶点的多面体的总平面角为 $2\pi(V-2)$ (这里又是使用各个面角的总和来刻画笛卡儿的立体角, 而欧拉理解的立体角则是指的顶点). 这又是欧拉对内角定理在三维空间的推广. 很容易看到欧拉的结果和笛卡儿的结果是等价的.

诚然, 笛卡儿和欧拉考虑的都是没有洞的多面体. 对于这些多面体, $\chi = V - E + F = 2$, 从而总角亏 $4\pi = 2\pi\chi$. 但是实际上, 对于有洞的多面体, 这个结果也是对的: 例如图 9 右侧的环面多面体, 它有 16 个顶点, 8 个是凸向外的, 其角亏各为 $\dfrac{\pi}{2}$; 另外 8 个是凹向内的, 其角亏各为 $-\dfrac{\pi}{2}$, 所以总角亏为 0. 但是, 这个环面的欧拉示性数恰好也是 0, 所以总角亏等于 $2\pi\chi$ 仍然成立. 于是我们得到下面一个

猜测, 即

定理 5(笛卡儿角亏公式) 对于任意多面体, 总角亏等于其欧拉示性数乘 2π, 即 $2\pi\chi$.

证明 下面给出证明的大意. 因为角亏是从面角的和算出来的, 我们现在不再只是考虑一个顶点, 而是考虑其一个面. 设其一个面是一个 n 边形, 如图 18, 并且考虑其内角的和. 由内角定理, 我们有 $(a_1+\cdots+a_n)-(n-2)\pi=0$. 把它改写成

$$(a_1+\cdots+a_n)-n\pi+2\pi=0.$$

对于此式我们可以解读如下: 第一个括号自然是关乎这个面的 n 个顶点的; 第二项我们则认为是对这个面的每一个边附加上一个值 $-\pi$; 最后一项则是对这一个面附加一个 2π. 这样, 我们再对所有的面求和. 记 $S=\sum(a_1+\cdots+a_n)$, 这是多面体的所有内角之和. 然后把 $-n\pi$ 加起来, 因为多面体一共有 E 条棱, 每一条都算了 2 次 (每一条棱在两个相邻的面中各计算一次), 所以得到 $-2\pi E$. 最后一项则每个面都有一个, 加起来共有 F 个. 所以加起来以后会得到

$$S-2\pi E+2\pi F=0. \tag{2.4}$$

最后令 T 表示总角亏. 因为在每一个面上各个顶点的角亏都是 $2\pi-(a_1+\cdots+a_n)$, 所以总角亏 T 就是 $2\pi V-S$. 把 T 加到 (2.4) 两边, 就得到 $2\pi V-2\pi E+2\pi F=T$, 或者就是 $T=2\pi\chi$. 这就是笛卡儿角亏公式. 证毕.

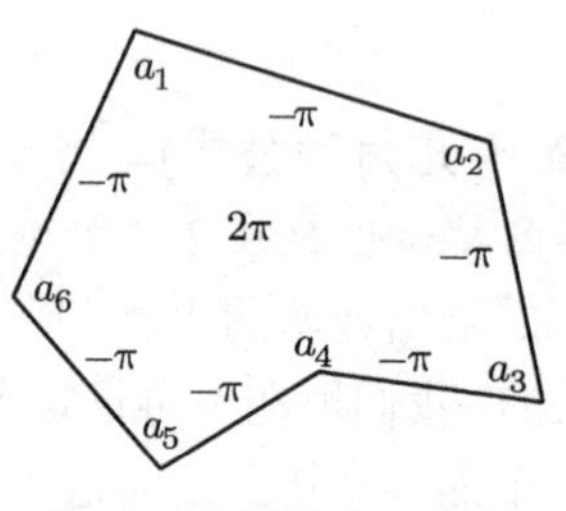

图 18　多面体的一个面

我们已经从四面体和立方体的例子看到, 简单的多面体的总角亏是 4π, 所以对于它们, $\chi = 2$. 对于环面, 总角亏是 0, 所以对于它, $\chi = 0$. 对于一般情况, 当然还需要证明这一点, 我不知道笛卡儿是怎样证明这件事的. 后来勒让德关于欧拉公式的证明解决了这个问题. 勒让德用的是球面几何的方法. 虽然我们没有介绍这个方法, 但是角亏公式等价于欧拉公式应该没有疑问了.

现在我们要问笛卡儿的"证明"比起柯西的证明"好"在哪里? 柯西的证明是一个纯粹的组合数学证明, 欧拉公式也是一个组合数学的公式. 所以, 柯西的证明"好"在枪对枪、棒对棒, 谁也不欺负谁. 但是笛卡儿的证明则从几何的视角把这个公式与角亏联系起来了. 这件事情意义重大, 让我们联想起一件事情: 图 19 把单位球面分成了 8 个卦限, 即 8 个直角球面三角形. 每一个这样的三角形的 3 个顶角都是 $\dfrac{\pi}{2}$, 加起来得到 $\dfrac{3}{2}\pi$, 这就否定了平面几何的最基本的定理之一: 三角形内角和为 π. 球面上则有一个三角形——直角球面三角形,其内角和大于平面三角形的内角和达 $\frac{\pi}{2}$ 之多，而这个差值正是直角球面三角形的面积：单位球面的面积是 4π，而这 8 个直角球面三角形是全等的，因而每一个的面积恰好是 $\frac{4}{8}\pi = \frac{\pi}{2}$. 一个三角形的内角和居然大于平面三角形的内角和达 $\frac{\pi}{2}$ 之多，这是非欧几何的一个"奇谈"，原来人们会以为非欧几何只是数学的逻辑推理在"游戏人生"，其实它是非常现实的：曲面上的几何学一般都是非欧几何学. 既然笛卡儿公式在由平面组成的多面体上把欧拉示性数与角亏联系起来了，那么，能不能例如在球面上考察这个公式，看一看能够给我们什么样的启发呢？但是我们要注意，我们所考虑的球面三角形的边都是大圆圆弧. 大圆是球面上的**测地线**，粗略地说就是连接两点的最短曲线. 现在有一个重要规定：**我们考虑的一切球面三角形的边都必须是测地线 (或称短程线)，即大圆圆弧.**

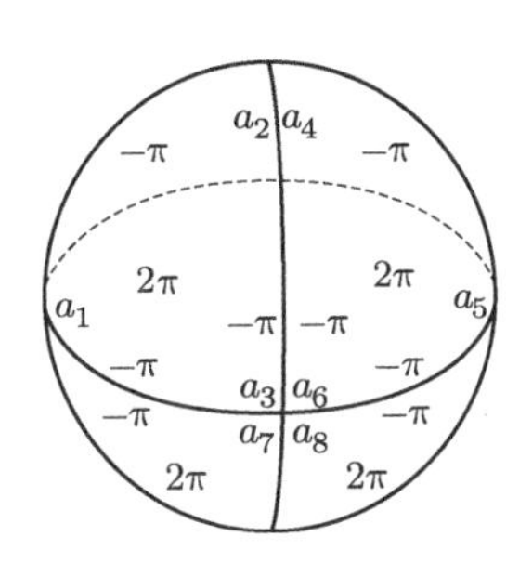

图 19　把角亏分布到球面上

再细看一下图 19. 那 8 个三角形的边都是测地线. 关于其顶角, 例如在顶点 a_3, a_6, a_7, a_8 处, 4 个顶角均为 $\frac{\pi}{2}$, 总和就是 2π, 角亏没有了. 那么角亏到哪里去了呢? 它不再集中在一个顶点上, 而是分散到 4 个直角球面三角形里去了: 这个直角球面三角形的顶角都是 $\frac{\pi}{2}$, 而平面的等角三角形的顶角都是 $\frac{\pi}{3}$, 相差 $\frac{\pi}{2}-\frac{\pi}{3}=\frac{\pi}{6}$, 一共差 $\frac{\pi}{2}$, 就是这个球面三角形的面积. 所以我们对图 19 的解释就是**角亏被分配到球面上去了!**

这也叫做"**王者归来**"吧, 组合数学又回来了! 人们也说笛卡儿在这里实际上也是应用了组合数学的思想和方法. 我们把球面分解成若干个以大圆圆弧为边的三角形或多边形, 球面的面积是各个三角形面积之和, 三角形的角亏之和就是球面的整个立体角 4π. 这就是把组合数学的球面分解与几何学的角亏联系起来的关键点. 在这里我们有十分重要的

定理 6(哈里奥特–吉拉尔定理) 设单位球面上的测地三角形的内角为 a, b, c, 则其面积为 $a+b+c-\pi$. 换言之, 球面测地三角形的面积 $=$ 其内角和对于平面三角形的内角和的盈余.

推广的哈里奥特–吉拉尔定理: 设单位球面上的测地多边形的内角为 $a_1, a_2, \cdots, a_n$, 则其面积为 $a_1+a_2+\cdots+a_n-(n-2)\pi$. 换言之, 球面测地 n 边形的面积 $=$ 其内角和对于平面 n 边形的内角和

的盈余.

再进一步, 我们还能不能在一个封闭的、与球面同胚的曲面 S 上实行这个计划? 就是说, 用测地线把它划分为若干个测地多边形, 并且计算其角亏, 如同勒让德在球面上之所为? 我们规定要用测地线来划分这里的 S, 是因为两条相交于某点的测地线是可以定义其交角的, 即定义它为交点处的两条切线的交角, 而且我们可以通过一个拓扑变换来把角亏的概念从一个多面体表面转移到 S 上去. 我们不妨用一个日常生活中的例子来解释这种转移. 设有一个正八面体. 前面我们已经算出了它在一个顶点处的角亏: 这里有 4 个面相遇, 每一个的顶角都是 $\frac{\pi}{3}$, 总共是 $\frac{4}{3}\pi$, 所以角亏是 $2\pi-\frac{4}{3}\pi=\frac{2}{3}\pi$. 假设这个八面体是糯米粉做的, 我们又细心地把它搓成一个球形的"元宵", 不过我们要小心一点: 要让这个八面体的棱仍然保持为测地线. 于是搓元宵的过程就把一个多面体 (现在是八面体) 的表面变成球面的一个测地划分 (现在是划分为 8 个卦限). 从图 20 的右图看到, 八面体的顶点的像在附近放大来看, 就变成右方的 4 个象限, 每一个原来大小为 $\frac{\pi}{3}$ 的角现在成了直角. 原来总角亏 $\frac{2}{3}\pi$ 现在消失了, 且正如我们前面所说这个角亏被分配到整个象限里去了. 而如图 19 所示, 在每一个卦限里, 3 个顶角各得到 $\frac{\pi}{2}$, 共为 $\frac{3}{2}\pi$; 3 条棱 (现在是子午线) 各分配

到 $-\pi$, 共为 -3π; 而整个面又得到 2π. 把它们加起来得到

$$\frac{3\pi}{2} - 3\pi + 2\pi = \frac{\pi}{2}.$$

因为现在的图形如此, 这样分配是很合理的. 建议在一般的测地多边形上, 按图 21 那样来分配角亏: 每一个角为 a_i 的顶点就分配那么多角亏; 每一条棱分配 $-\pi$; 整个面得到 2π.

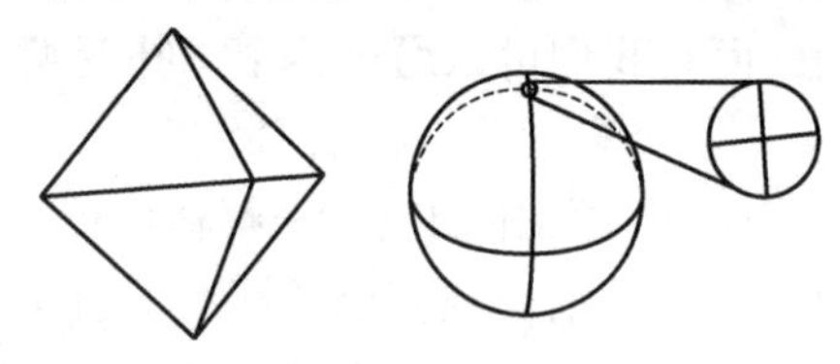

图 20　把一个八面体搓成一个"元宵"

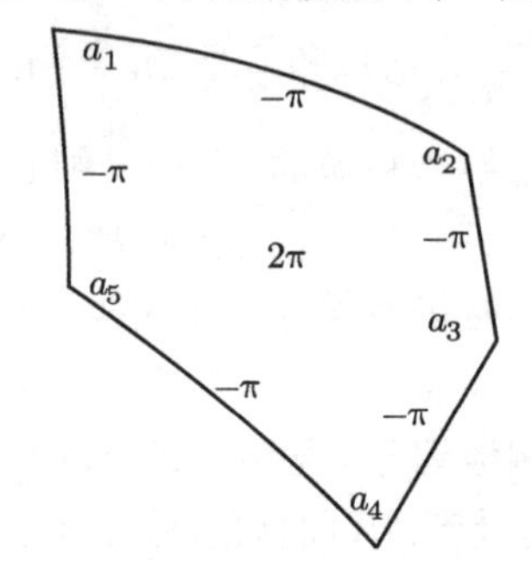

图 21　角亏在一个测地多边形内的分配

把这里的结果对划分中的所有测地多边形相加 (和前面一样, 我们就不再重复了), 就得到

定理 7(曲面的角亏定理)　设曲面 S 与球面同胚, 则总角亏等于 $2\pi\chi(S)$. 这里的 $\chi(S) = V - E + F$, 就是曲面的欧拉示性数.

现在我们看到组合的、离散的欧拉公式对于非常一般的曲面 S 完全控制了角亏. 注意到角亏概念实际上是非欧几何的一个基本的概念, 而且通过高斯的曲率概念引导得到高斯 – 博内公式, 开辟了一个十分广阔的领域. 虽然我们不可能在此解释有关的哪怕是最初步的知识, 但是应该注意: 如果只要几个整数就能够控制一个广大的数学领域, 那必定是最高的数学成就. 可惜, 我们只能止步于此了.

三、阿基米德多面体及其他

除了柏拉图多面体以外，早在古希腊时代，人们就已经知道还有许多更复杂而美丽的多面体，其中最著名的当推阿基米德多面体. 它们的特点是，构成它的面的多边形不是同样的，而可以由好几种不同的正多边形组合而成，但是**与每一个顶点相邻的多边形的种类、个数和排列都要相同**. 所以，这种多面体也称为**半正多面体**. 阿基米德找出了全部 13 个这种多面体，而现在就统称为**阿基米德多面体**. 他关于这个问题的原著早已失传，现在我们是从帕普斯 (Pappus of Alexandria, 公元 3—4 世纪的伟大的古希腊数学家) 的著作中知道这个情况的. 阿基米德是伟大的数学力学大师，他关注数学的实际应用，但同时又具有丰富的想象力. 伟大的法国启蒙思想家伏尔泰曾经这样形容过阿基米德：**“实用的数学里会有惊人的想象力；而阿基米德的头脑较之荷马有更丰富的想象力”** (*There is an astonishing imagination in practical mathematics; and Archimedes had at least as* *much imagination as Homer*). 图 22 就是全部 13 个阿基米德多面体.

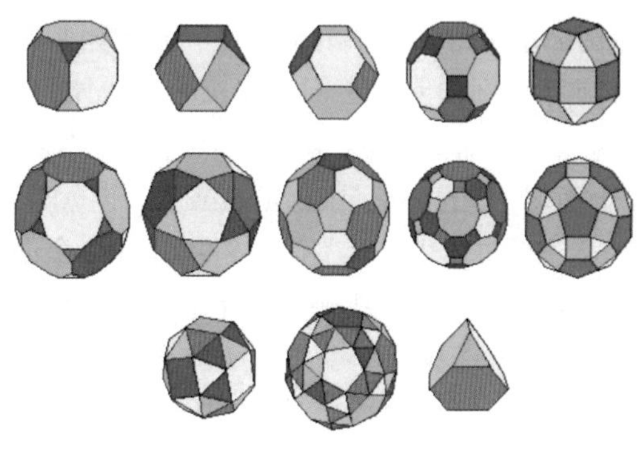

图 22 阿基米德多面体

值得注意的是, 它们与柏拉图多面体有密切的关系: 有一些是从柏拉图正多面体切除顶点 (同时切除相邻的棱的 $\frac{1}{3}$) 而得, 例如第 2 排的第 3 个就是从正二十面体按此方法切出来的. 图 11 的达 · 芬奇多面体就是它的骨架 (棱) 的框架. 它是这样做出来的: 取一个正二十面体, 如前所述, 它有 12 个顶点, 而每一个顶点处都有 5 个正三角形 (所以施莱弗利符号是 $\{3,5\}$). 把这个顶点连同这些三角形的三分之一都切除, 于是每一个面留下的部分都是一个正六边形, 一共有 20 个正六边形. 在切掉一个顶点后就会留下一个正五边形的 "疤", 12 个顶点一共留下 12 个疤, 成了新多面体的 12 个正五边形的面, 所以一共有 32 个面. 因此, 我们时常把图 11 的那一个达 · 芬奇多面体叫做一个 12–20 面体. 我们不能在此详细讨论阿基米德多面体的构成方法,但是这一个 12–20 面体特别重要, 我们将在下面介绍. 而帕普斯在他的著作《**数学汇编**》(*Synagoge* 或 *Mathematical Collection*) 第 5 卷介绍阿基米德多面体时, 详细说明了它们与柏拉图多面体的关系.

图 2 的足球就是它. 所以应该称为一个**截断的正二十面体** (truncated icosahedron), 也就是前面说的 12–20 面体: 它现在有 (12+20=32) 个面, 12 个是正五边形, 20 个是正六边形; 至于顶点数, 原来的每一个顶点被切除以后成了 5 个顶点, 所以一共有 60 个; 由欧拉公式有 (32+60–2=90) 条棱.

迄今为止一切都很有趣, 而且很美丽, 但是人们有理由问, 这些东西, 包括欧拉公式有什么用处? 除了在数学家和艺术家的创作中, 它们在大自然中存在吗? 后来人们找到了一种碳原子簇, 是除了石墨、钻石和无定形碳以外纯粹由碳原子构成的原子簇. 这些碳原子分布在一个中空的笼子形状的结构的顶点上. 例如有 60 个碳原子分布在我们上面介绍的截断的正二十面体的 60 个顶点上. 这一类碳原子簇统称为**富勒烯** (fullerene). 虽然他们实际上不是烯类碳氢化合物——其中根本没有氢原子, 而它们的英文名称的字尾 -rene 标志了它们的碳键有特殊的结构. 图 23 中画出了最常见的 C_{60}: 巴克敏斯特富勒烯和它的碳键. 因为它形似一个足球, 所以也叫做足球烯. C_{60} 是在 1985 年由化学家柯尔 (Robert Curl)、克罗托 (Harold Kroto) 和斯莫利 (Richard Smalley) 发现的. 他们由于这个发现获得了 1996 年的诺贝尔化学奖. 其实后来发现富勒

烯并不只有 C_{60}, 而且还有 C_{20}, C_{70} 以至 C_{540}. 而且除了 C_{20} 以外, 都有这种多面体结构. 例如 C_{540} 多面体就有 12 个正五边形的面和 260 个正六边形的面. 总之, 这些多面体都只由正五边形和正六边形构成, 而且正五边形一定是 12 个. 实际上这是一个定理, 即

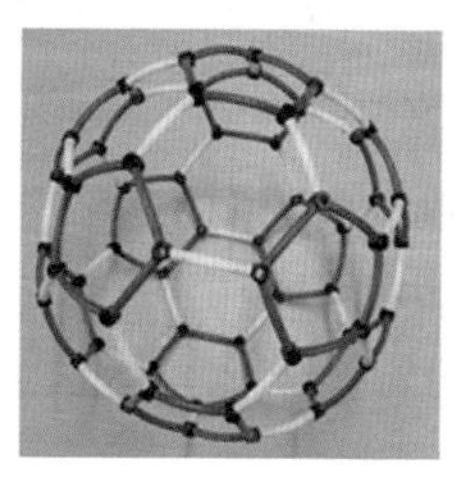
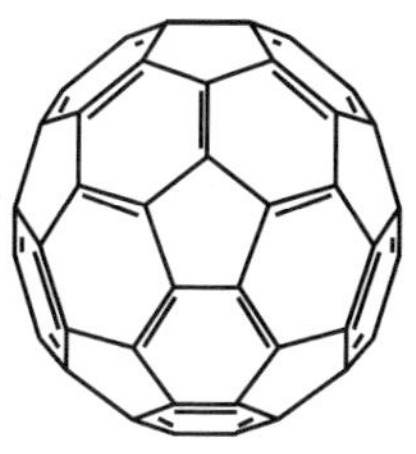

图 23　C_{60}: 巴克敏斯特富勒烯及其碳键

定理 8(12 个五边形定理)　*若一个多面体的面是五边形或六边形, 而每个顶点的度数均为 3, 则这个多面体的面中恰好有 12 个是五边形.*

证明　这个定理的证明和证明正多面体只有 5 种的证明方法是一致的. 注意, 所谓度数就是通过一个顶点的棱的数目, 也就是施莱弗利符号 $\{k, q\}$ 中的 q. 因为五边形的边一定是 5 条棱, 而六边形的边一共是 6 条棱, 如果这个多面体有 P 个面是五边形, 有 H 个面是六边形, 它们的边数共为 $5P+6H$. 但是, 每一条边都是2 个面的棱, 所以这个多面体的棱数是 $E=\dfrac{5P+6H}{2}$. 同样, 因为每个顶点的度数为 3, 即通过每个顶点有 3 条棱. 因此我们又有 $V=\dfrac{5P+6H}{3}$. 所以, 由欧拉公式有

$$
\begin{aligned}
2 =& V - E + F \\
=& \frac{5P+6H}{3} - \frac{5P+6H}{2} + (P+H).
\end{aligned}
$$

两边乘 6, 就得到

$$
12 = 2(5P+6H) - 3(5P+6H) + 6(P+H) = P.
$$

定理证毕.

这个定理还有一个对偶的形式, 见

定理 9 *若某个多面体的面全是三角形, 而每个顶点的度数是 5 或 6, 则这个多面体恰好有 12 个度数为 5 的顶点.*

富勒烯的应用非常广泛, 例如在新材料、新能源、医药等领域中. 凡涉及纳米技术处, 时常都可以找到它. 例如, 可以利用它的碳键的特殊性质来储存氢, 这在新能源汽车上有很好的前景.

现在, 我们还想要讲到另一种与截断的正二十面体有密切关系的新事物, 即天然气的水合物. 现在人类正面临着能源的短缺, 而目前一种非常有前景的解决途径就是天然气的水合物. 简单地说, 就是甲烷 (天然气的主要成分) 分子 CH_4 被关在水分子构成的“笼子”里. 图 24 就表明了这里的情况: 一个 CH_4 分子可能如图 24 上图左方那样, 被关在一个十二面体里, 也可能如右方那样关在一个截断的正二十面体里 (因为这里的插图引自其他网站, 其名词的使用与上文不尽相同, 例如所谓的五角十二面体, 其实就是一个十二面体, 不过不是正十二

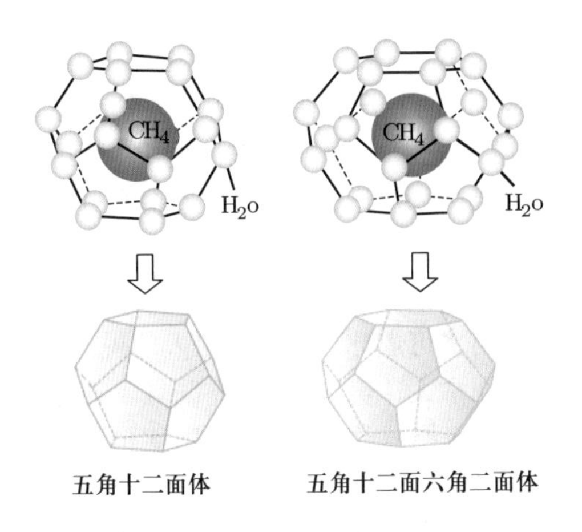

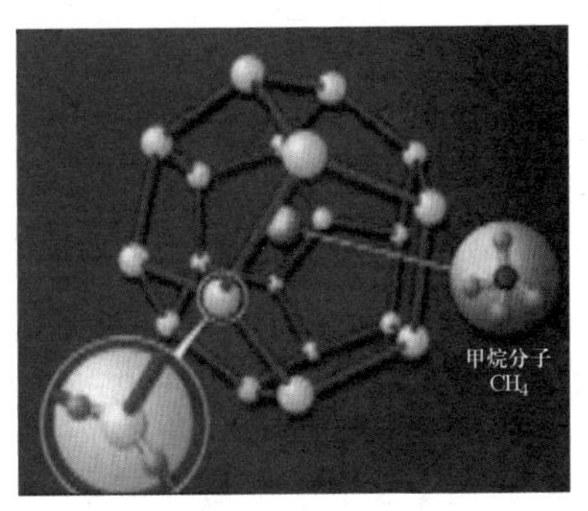

图 24　天然气的水合物

面体; 而且图中把表面由五边形和六边形构成的截断的正二十面体称为五角十二面六角二面体), 还可能有其他形状的甲烷水合物. 按照现在人们的认识, 甲烷在低温高压下就可能形成这种水合物, 称为一个“笼形包合物” (clathrate), 也叫“甲烷笼子”. “甲烷笼子”有多种形状, 上面说的和 C_{60} 形状相同的, 只是最简单的一种. 因为它是以冰一样的固体形式存在, 一旦着火就会很完全地燃烧, 热效率很高, 而且没有污染, 所以人们又把它叫做"可燃冰". 它存在于永久冻土层中, 更可能存在海底沉积层中. 由于多年来油气勘探和开采技术的发展, 人类现在已经可以开始利用它了. 2008 年就报道了我国在陆地上 (青海省天峻县) 的永久冻土地区勘探出"可燃冰". 按美国人的说法, 这使中国成为继加拿大、美国之后, 在陆域上通过国家计划钻探发现可燃冰的第三个国家. 更值得注意的是海域中的可燃冰资源. 有人估计, 全球海域中的可燃冰资源量相当于 690 亿吨石油. 我国是一个可燃冰资源极为丰富的国家. 2007 年, 我国在南海海域 183 米深处钻探到了这种天然气水合物. 2011 年, 我国正式启动了可燃冰的专项研究, 我国的海洋考察船"海洋 6 号"对发现海域进行了精确测量, 发现了南海海域占了我国远景蕴藏量的大部分. 从国家能源安全角度来看, 积极开发可燃冰资源是刻不容缓的事. 据有关部门提出的计划, 我国将从 2013 年起在南海北部正式开始可燃冰资源的勘探开发. 当然, 这一切都还只是开始, 可燃冰资源的开发中存在的技术问题还很多, 例如一旦这些 CH_4 自由地跑出来, 麻烦就大了. 因为甲烷是温室效应的一大杀手, 其"效率"大大超过二氧化碳! 但是, 看到多面体理论给我们开辟了如此广阔的前景总是令人兴奋的.

我们还要附带谈一个有趣的问题: 富勒烯为什么叫做富勒? 这是一个人名: 理查德 · 巴克敏斯特 ·

富勒 (Richard Buckminster Fuller, 1895— 1983), 是一个美国工程师、未来学家、系统论者、设计家、发明家等. 他的主要贡献在于“发明”了一种建筑结构“**测地线穹顶**” (geodesic dome), 或称**短程线穹顶**. 这种建筑结构原则上说是从一个正二十面体开始. 我们知道, 一个正二十面体的面是正三角形. 对每一个三角形作进一步的三角剖分, 就可以得到一个很接近于球形的曲面. 这个基本的结构有多种修正,例如添加一些五边或六边的测地多边形. 总的原则: 这些网状结构的每一个组件都可以**协同地** (synergetically) 起作用 (“协同学” (synergetics) 一词似乎也是富勒提出来的), 从而使得结构中的“拉” (tension) 和“压” (compression) 可以彼此平衡, 使得建筑以最小的自重提供最大的强度和最大的跨度, 而且室内不再需要梁柱之类. 这种建筑时常能满足特殊的需要, 而且建造很快、成本也低, 例如雷达的外罩 (其作用是为了避免恶劣天气的影响) 就时常采用这种建筑形式. 图 25 是一个预警雷达的天线罩, 它就是一个测地线穹顶.

这样看来, 我们上面介绍的那几个定理这里自然也是适用的. 图 26 上的测地线穹顶就有 12 个度数为 5 的顶点, 右图标出了其中的 7 个.

C_{60} 和其他类似的碳原子簇之所以被称为富勒烯, 就是因为其形状像理查德 · 巴克敏斯特 · 富勒发明的测地线穹顶. 为它取这个名字就是为了纪念理查德 · 巴克敏斯特 · 富勒的.

图 25　预警雷达的天线罩

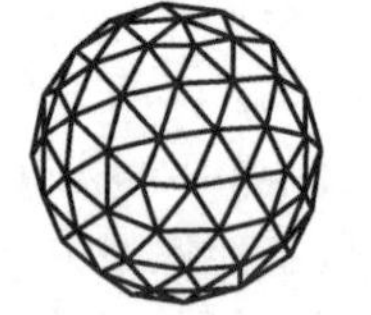
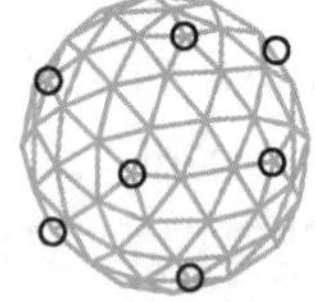

图 26　测地线穹顶

如果说过去至少在中学数学教学中, 欧拉多面体公式还会被介绍一下 (不过只是作为一颗"美丽的宝石"), 而现在大多数中学数学都不提这件事了, 大学数学系则一般只把它作为拓扑学概念的"副产品"说一下. 现在看来, 它不仅是"美丽的宝石", 也不只如前面所说, 与拓扑学及微分几何有密切联系、是通向数学王国的一个广袤领域的切入口, 而且还与国家建设大计有了关联. 下面, 我们将以"水立方"为题, 介绍欧拉多面体公式所引向的, 一个过去完全没有想到的, 观察这个公式的角度.

四、从蜂巢到水立方

前面我们已经看到在自然界里有许多奇妙的结构与上面介绍的多面体的理论有密切的关系. 既然看见了人类利用相关的知识作出了这么多奇妙的贡献, 就使我们感到不能不赞叹大自然的另一个奇迹: 蜂巢. 最早提到蜂巢的数学家当属古希腊的**帕普斯**. 他的主要著作《**数学汇编**》据说意图是成为古希腊数学的一部手册. 此书共分 8 卷, 现已部分失传. 其第 5 卷的主题就是多面体, 包括对于柏拉图多面体的讨论, 介绍阿基米德多面体, 特别是在数学上第一次提出了等周问题. 这一卷有一个很有趣的标题: **"蜜蜂的睿智"**. 我们知道蜂巢的平面剖面是六角形的 (但是准确一些说, 还不是很完全的正六边形, 见图 27), 为什么是这样呢? 帕普斯说: "蜜蜂懂得一件对它们有用的事实: 建造蜂巢时, 用同样多的材料, 六边形相比正方形和三角形可以容纳更多的蜂蜜. 但是**我们既然声称我们自己比蜜蜂有更高的智慧, 就会去研究一个更广泛的问题, 即在所有具有相同周长的、等边又等角的平面图形**

中, **角的数目越多, 面积就越大, 而面积最大的就是具有同样周长的圆.** ”这可以说是数学中第一次出现所谓“等周问题”. 但是严格地说, 帕普斯并没有解决这个问题, 因为他并没有用“所有的”等周长的平面图形作比较, 而只是用相近的正多边形 (如正三角形、正方形) 来作比较. 所以按我们现在的说法, 应该说帕普斯只是提出了一个猜想 (不妨称为**帕普斯猜想**): 将平面分成等面积的图形, 则在划分为正六边形时所需的材料最少. 这个猜想直到 1999 年才由美国数学家黑尔斯 (Thomas Callister Hales, 1958—) 证明.

图 27 蜂巢的平面剖面

但是我们在这里只是考虑了平面问题, 而蜂巢显然是一个三维结构: 它的一个单元是一个六棱柱, 但其顶端则是 3 个菱形 (图 28 上只画了一个单元的上半截, 所以把下底画成了平面). 因此仿照帕

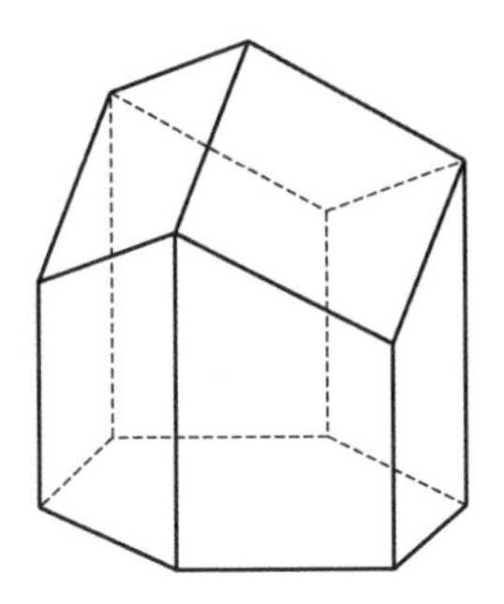

图 28　蜂巢在三维空间中的一个单元

普斯在平面情况下提出的猜想, 我们也可以问: 在三维空间中怎样把空间划分为等体积的单元而使所需的材料最少? 这当然是一个很复杂的数学问题. 但是在进一步说明这个问题前, 还要介绍一个相关的、但是不同的问题, 就是**开普勒球体装填问题** (sphere packing problem). 这个问题的历史很有趣. 据说雷利爵士 (Sir Walter Raleigh,1554 — 1618, 英国伊丽莎白女王的宠臣, 请勿与物理学家瑞利勋爵 (Lord Rayleigh, 1842—1919, 真名是 John William Strutt) 相混淆) 问他的助手哈里奥特 (第二部分里讲过这位学者), 怎样把炮弹 (当时炮弹就是小铁球) 堆放在甲板上最省地方? 哈里奥特很快就告诉他一个公式, 但是哈里奥特还想要进一步证实它, 于是就向开普勒请教. 1611 年, 开普勒回应说: 第一层就用通常的矩形的均匀排列、再上一层则让每一个炮弹嵌在下一层四个炮弹之间的空隙里. 这件事一直没有得到证明, 所以大家就称之为**开普勒猜想**. 这样的排列法在化学上研究分子的排列时也时常用到, 并且称为面心立方

(face-centered cubic) 排列, 简称为 fcc 排列 (见图 29). 它的空间使用"效率"可达 0.74 左右. 这样一个猜想直到 1998 年才由黑尔斯 (上文提到他, 而且他在证明了开普勒猜想不久以后就证明了关于蜂巢的平面上的**帕普斯猜想**)证得.

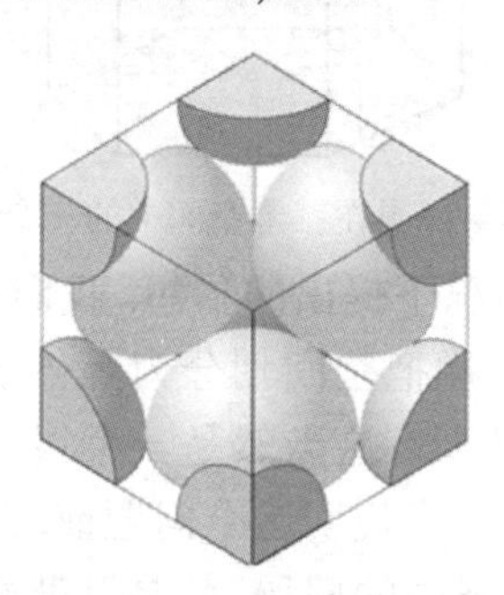

图 29　fcc 排列

开普勒猜想和帕普斯猜想性质是不一样的. 开普勒猜想在球体之间是有空隙的, 而要求空间的利用效率最大. 帕普斯猜想解决的是**镶嵌拼装**(tessellation)**问题**, 问用一种或几种几何形体 ("砖头") 能不能不重叠地把空间的一部分填满? 而且这些"砖头单元"的表面积要最小.

一个包围一定的体积、而且具有最小面积的曲面, 称为**最小曲面**. 19 世纪的比利时物理学家普拉托 (Joseph Antoine Ferdinand Plateau, 1801—1883) 就提出用肥皂泡做实验来研究这种曲面. 因为包围了一定体积的肥皂泡在表面张力的作用下自然会使面积最小. 如果有多个肥皂泡, 利用表面张力的作用仍可作出形状极为复杂的最小曲面. 讲到这里就不能不讲英国物理学家开尔文勋爵的贡献. 开尔文勋爵 (Lord Kelvin, 真名是威廉 · 汤姆逊 (William Thomson), 1824—1907) 就想用实验方法来解决如何求需用材料最少, 而能包围一定体积的镶嵌拼装的问题. 但是他是从另一个角度来提出这个问题的.

到了 19 世纪中叶, 人们已经开始认识到光是电磁波的传播 (这个理论以麦克斯韦理论及其实验证实为高潮), 既然是传播, 当然就得在某种介质中传播, 而这种神奇的介质就被称为“以太”. 这个名词来自古希腊哲学, 当然对于开尔文, 其含义与古希腊完全不同了. 其实, 后来电动力学的发展证明了电磁场的本性就是可以传播电磁波, 而完全不需要虚构的“以太”. 但是开尔文勋爵还没有达到这样的认识. 那么, 神奇的以太究竟是什么呢? 他认为应该是以一种“泡泡”的形态存在的, 于是他就自然地提出要来寻找一种镶嵌拼装: 这种镶嵌拼装把空间分成同体积的单元, 这个单元应该具有如下的性质: **只需最少的材料就可以构成具有最大体积的单元**. 这是一个等周问题. 但是开尔文并没有用数学的理论分析来解决这个问题. 相反地, 他作为一个伟大的物理学家, 求助于实验. 他的侄女阿格尼丝 · 加德纳 · 金 (Agnes Gardner King) 回忆道: 当时她去看望她的叔父, 就看见他整天在做肥皂泡实验.

经过好几个月的实验, 开尔文提出了他关于这个问题的解答, 认为图 30 给出的结构 (现在称为

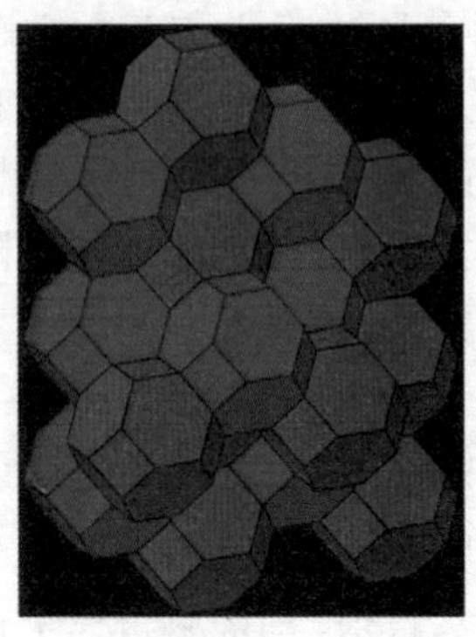

图 30　开尔文结构

开尔文结构) 就符合要求. 我们在下面就把这个想法称为**开尔文猜想**. 图 30 的右下侧画出了其各个单元的构成方法: 从一个正八面体开始, 因为它有 6 个顶点, 而每一个顶点处都有 4 个正三角形相遇 (这就是前面的表中提到的 $k=3, q=4, F=8$ 的情况), 如果把这个正八面体的每一个顶点处都切除 $\frac{1}{3}$, 如同我们作截断的正二十面体那样, 切除以后, 将会留下一个正方形的"疤痕", 而原来的正三角形的面将变成一个正六边形. 总之, 我们会得到一个十四面体, 它也是一个阿基米德多面体 (见图 22 第 1 排第 3 个). 它们可以把整个空间填满 ("填满"这件事称为得到一个"镶嵌拼装", 这一点是需要证明的, 镶嵌拼装是当代数学的一个有重要应用的问题). 把这些截断的正八面体"拼装"起来得到的几何形体称为**开尔文结构**, 就是图 30 左方的大图所表示的. 但是我们要注意, 上面说的只是开尔文的实验结果, 没有得到过数学的证明. 不过大家都认为它是正确的, 特别是因为这个结构有完美的对称性, 而人们总认为重要的数学结果应该是完美的、对称的, 所以开尔文的结果更加值得深信不疑. 大数学家外尔 (Hermann Weyl) 在 1950 年写过一本名著《**对称**》, 就是这样评论开尔文的结果的.

将近 100 年间, 人们都认为开尔文的猜想是正确的. 但是, 1993 年, 两位爱尔兰物理学家维埃尔 (Dennis Weaire) 和费伦 (Robert Phelan) 却出来唱反调, 他们给出了图 31 所示的所谓**维埃尔 – 费伦结构**.它同样也只是实验结果, 但是它是由 2 种不同的多面体组成的. 一种是右上角的十二面体 (**不是正多面体**), 另一种是右下角的十四面体, 它并不是阿基米德多面体, 因为有些顶点只挨着正五边形 (如黄色面与绿色面的相接处), 而有些顶点 (如红色面的顶点) 既挨着正五边形又挨着正六边形. 左图则一共画了 8 个多面体 (称为一个平移单元), 其中 2 个 (黄色的) 是十二面体, 其余 6 个 (有红或绿色面, 有 2 个隐藏在后面, 看不清楚) 是十四面体.

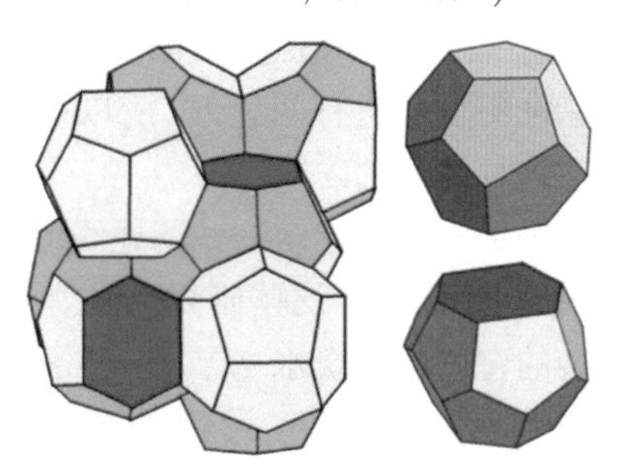

图 31　维埃尔 – 费伦结构

这样的平移单元有一个从上到下的轴, 可以将它们直立起来把全空间填满, 构成全空间的一个镶嵌拼装, 比开尔文结构节约材料 0.3%. 所有这些也全是实验结果, 未经证明.

值得注意的是可燃冰在地下也可能是以维埃尔 – 费伦结构的形式存在的. 其实, 这种笼子的存在, 早在 1939 年, 化学家鲍林 (Linus Carl Pauling) 就在他的名著《**化学键的本质**》里谈到了. 他在那里给出了一个与维埃尔 – 费伦结构拓扑等价的结构. 无怪有人调侃鲍林说, 如果鲍林懂得拓扑学, 他早就超过开尔文了. 近年来的研究证明可燃冰在地下存在的形式可以有三种类型, 即 I 型、 II 型和 H 型, 它们的基本单元如图 32 所示. 不过对这个图上的记号需要作一些说明. 例如 I 型的 5^{12} 和 $5^{12}6^2$ 分别表示由 12 个五边形以及由 12 个五边形和 2 个六边形包围的区域; II 型的 2 个多边形解释类似; 但是 H 型中有一个多面体 $4^35^66^3$ 表面是由 3 个四边形、 6 个五边形和 3 个六边形构成的, 似乎和上面讲的“12 个五边形定理”矛盾. 其实不然, 因为那个定理适用于表面仅由五边形和六边形组成的情况, 而现在的表面上还有四边形, 所以那个定理是管不了现在这种情况的.

正如富勒烯和一种建筑——测地线穹顶心有灵犀地有相同的名字一样, 这些研究也催生了 2008 年北京奥运会的奇妙的建筑水立方. 当准备建造 2008 年奥运会的游泳中心时, 在设计竞赛中脱颖而出的是由中建设计联合体、澳大利亚 PTW 建筑师

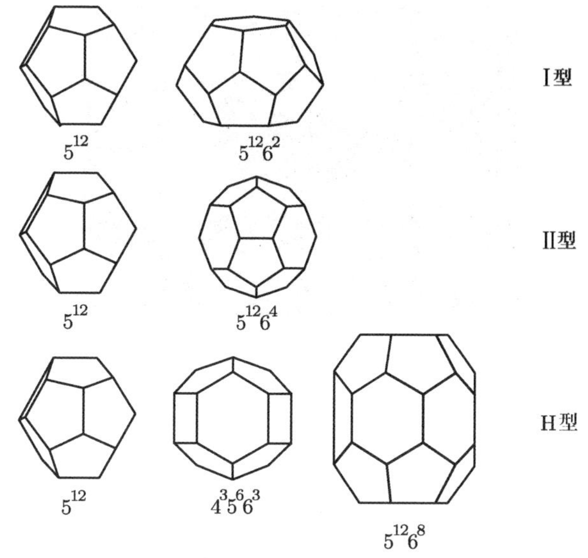

图 32　可燃冰在地下的可能的储藏形式

事务所和 ARUP 澳大利亚有限公司联合的设计. 接受这项任务的主要建筑师之一的卡弗雷 (Tristram Carfrae), 并不是一位数学家, 而是热衷于把膜用于建筑, 因此他知道维埃尔 – 费伦的工作. 既然要建筑一座游泳馆, 当然想到在建筑上突出水的特色. 设计者曾经考虑过用波浪、云雾, 甚至冰山来表现水, 但是最后卡弗雷利用他所了解的维埃尔 – 费伦的工作, 决定用“泡泡” (bubbles) 来表现水的特性. 如卡弗雷自己所说: 这种泡泡在大自然里是最为常见的, 在细胞里、晶体里以及许多物体的结构里面, 都可以找到泡泡的身影. 而且泡泡最能表现水的纷繁多样, 多姿多彩. 图 33 很好地表现了他所设想的建造程序.

图 33　水立方的建造程序

从左上角看起: 先有一个多面体, 再附上另外的多面体, 一直构成一个平移单元. 这些平移单元成了全空间的一个镶嵌拼装 (图上只画出了一个倾斜着的长方体); 第二步是用两个平行的平面 (图上的淡紫色平面) 去从这个长方体里切出一片来. 为什么平面要与长方体倾斜? 因为如果把平面取得与长方体的某一条棱平行, 则切出来的图样略嫌呆板而欠生气. 卡弗雷用电脑试验了不同的倾斜角, 最后觉得, 若取此角为 11° 左右, 图形显得最生动, 似有随机性, 表现了生命力. 第三步则作竖立的截面, 切出所需的平面, 它有一定的厚度, 这就成了水立方的 "房顶". 它的四壁则是任意的垂直于房顶的平面, 所以, 只需要沿着所得的截口再向垂直于房顶的方向切下去, 就会得到墙壁的方向. 这样做的原因是可以不至于切断已有的 "骨骼", 保证了建筑物的坚固. 这些当然只是设计的 "理念", 这样设计出来的骨架不但需要足够坚固, 还要足够柔韧, 才能适应北京这样的地震高发地区的特殊要求. 所有这一切, 按卡弗雷的说法, 全都交给了中方的设计人员, 做了艰苦细致的工作. 这样, 我们就有了水立方的骨架 (见图 34, 上图是示意图, 棱要用钢管来做, 顶点是节点, 要用一定的工程手段来实现, 下图则是施工的实际情况).

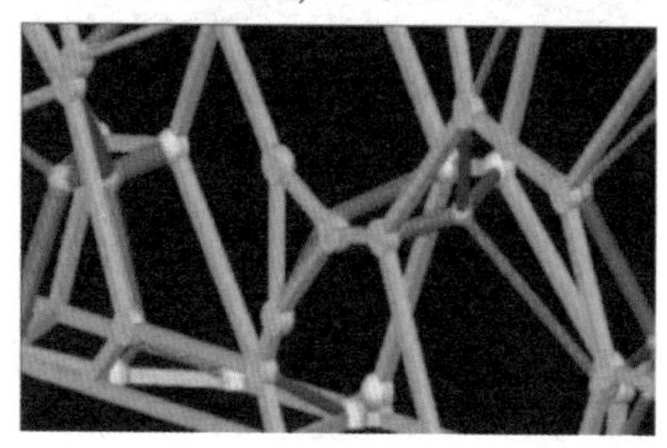

水立方的骨架示意图

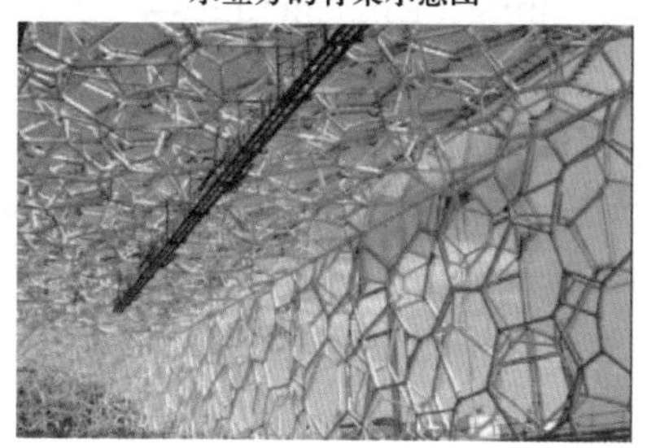

水立方的骨架施工图

图 34　水立方的骨架

最后, 需要把这个建筑覆盖起来. 建筑者们采用了乙烯 – 四氟乙烯共聚物 (ETFE) 做的"气枕", 共 2000 多个, 先把它们固定在已经完成的骨架上, 然后通过预先放在这些钢管内的充气管道向气枕充气, 这样自然就有膜固定在骨架上, 成为这些多面体的面. 膜的表面张力保证了其面积最小. 这样, 美丽雄伟的水立方就矗立在我们面前 (图 35).

图 35　水立方

最受到水立方的故事所激励的, 可能不是运动员, 很可能是数学家. 电子刊物《Plus》有一篇文章的压题图就是水立方夜景的美丽照片, 该文标题是《Swimming in mathematics》(在数学中游泳). 人类, 特别是数学家, 从大自然获得灵感, 而数学帮助他们找到隐藏在深处的数学规律性和美, 最后还是数学帮助他们又把大自然的美物化为种种具体事物, 如水立方这样的建筑, 使人类能够生活在与大自然的和谐之中! 这难道不是数学发现的真谛吗?

写这本小书的目的就是鼓励大家和我们自己在数学的大海中, 不仅可以水击三千里, 乘风破浪, 而且可以在平静的浅海湾优游嬉戏.

据说当年柏拉图在自己学院的大门口, 立了下面的告示. 我们找到了它的希腊文原文, 放在下面, 鼓励我们自己和有志者!

ἀγεωμὲρητος
μηδεὶς
εἰσίτω

let no one destitute of geometry enter my doors

不识几何者不得入吾门

参考文献

[1] 柯朗 (Courant R), 罗宾 (Robbins H) . 什么是数学. 左平, 张饴慈, 译. 上海: 复旦大学出版社, 1995.

[2] 拉卡托斯 (Lakatos I) . 证明与反驳. 康宏逵, 译. 上海: 上海译文出版社, 1987.

[3] Richeson D S. Euler's gem: the polyhedron formula and the birth of topology. New Jersey: Princeton University Press, 2008.

后　记

想要就多面体和欧拉公式写一点东西，已经有好几年了．事情要从和一些中学数学老师的谈话说起．从他们的谈话中发现，知道这方面知识的老师不多，而且其中大部分也就是知道有这么回事而已．至于公式的证明以至更深刻的含义就不甚了了．例如对于多面体的定义，知道的就是教科书上说的那么多，这里面有什么问题就没有多少人想去追究了．究其原因，实际上只有一点，就是高考不会考．事实上，也没有办法考．做一个问答题，问一下什么是欧拉公式也就到头了．不但没法考，想出一个习题都难．老实说，我也出不了这样的习题．因此，这么美妙的数学就与中学数学教学绝缘了．

那么，写一点课外读物如何？说老实话，现在的中学除了教辅材料，可能根本没有课外读物一说．那么，不管写出来有没有人读，先写一点又如何？可是要写也真不容易．因为欧拉公式涉及的面太多．专门写一下公式在什么条件下成立、什么条件下不成立, 就很不容易. 有谁能写、或者能读例如拉卡托斯 (Imre Lakatos, 1922—1974) 的《**证明与反驳**》那样的书呢? 有什么用呢? 但是我仍然建议如有可能就去浏览一下这本书, 它以苏格拉底式的对话, 在与一群学生的交谈中谈到了欧拉公式的发现过程. 着重它与图论的关系, 或者着重它与拓扑学的关系, 都很有意义, 让优秀的中学生得到一点这方面的知识也是大有好处的事. 可是, 同样很难写. 特别是后来从网上看到一点有关水立方、可燃冰的材料, 更觉得完全不去涉及也很不恰当. 所以, 这个想法就放下来了.

李大潜同志希望能有一本小书放在这个丛书里是一个好想法. 至少可以完全摆脱有关什么教学大纲、考试之类的考虑, 而着重想一下能否使读者得到一点好处, 知道有值得费一点力气、而且会有相应收获的地方. 但是费一点力气是不可避免的. 只要涉及数学, 哪怕是普及, 就没有什么劲也不必下就有好处的事. 这里要感谢武汉大学的罗壮初老师, 他为我找到一本好书: David S. Richeson 的《Euler's gem: the polyhedron formula and the birth of topology》. 按照这本书的处理, 至少不会错得太离谱, 如果还需要回答读者进一步的问题, 例如笛卡儿是怎样也发现了欧拉公式, 他的想法与现代的拓扑学的关系等都可以说得比较清楚了. 这样不必涉及许多知识, 有兴趣的读者会知道在什么地方可以满足自己的求知欲望. 但是关于多面体的进一步的现代的“应用”, 例如水立方、富勒烯、测地线穹顶等, 虽然很有趣, 但是讲错的可能性就很大了. 所以诚恳地希望读者指正.

编者
2013 年 3 月

读者意见反馈

为收集对教材的意见建议，进一步完善教材编写并做好服务工作，读者可将对本教材的意见建议通过如下渠道反馈至我社。

咨询电话　400-810-0598

反馈邮箱　hepsci@pub.hep.cn

通信地址　北京市朝阳区惠新东街4号富盛大厦1座

　　　　　高等教育出版社理科事业部

邮政编码　100029